BISGEDI CŴN

I Pandora,
Diggy ac Isolde

BISGEDI CŴN. ISBN 978-1-84512-081-8. Argraffiad Cymraeg cyntaf: Hydref 2008. Cyhoeddwyd gan Gymdeithas Lyfrau Ceredigion Gyf., Blwch Post 21, Yr Hen Gwfaint, Ffordd Llanbadarn, Aberystwyth, Ceredigion SY23 1EY. **www.clcgyf.org**. Hawlfraint yr argraffiad Cymraeg © Cymdeithas Lyfrau Ceredigion Gyf. 2008. Addasiad © Dylan Williams 2008. Dymuna'r cyhoeddwyr gydnabod cymorth adrannau Cyngor Llyfrau Cymru. Cedwir pob hawl. Cyhoeddwyd gyntaf ym Mhrydain yn 2008 gan Doubleday, un o wasgnodau Random House Children's Books, 61–63 Uxbridge Road, London W5 5SA. Teitl gwreiddiol: *Dog Biscuit*. Hawlfraint © Helen Cooper, 2008. Y mae hawl Helen Cooper i'w chydnabod fel Awdur a Darlunydd y llyfr hwn wedi ei nodi ganddi yn unol â Deddf Hawlfraint, Dylunwaith a Phatentau, 1988. Argraffwyd yn Singapore.

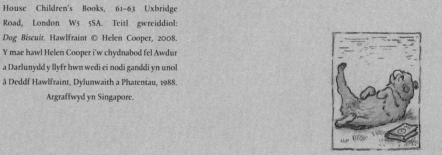

BISGEDI CŴN

Helen Cooper

Cymdeithas Lyfrau Ceredigion Gyf

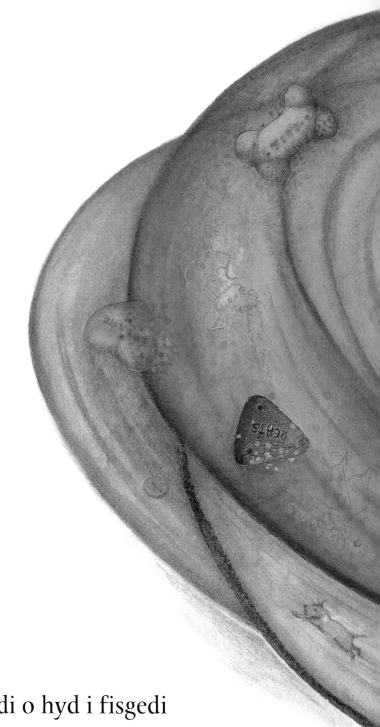

Daeth Medi o hyd i fisgedi
yn y sied.
Bisgedi ar gyfer cŵn oedden nhw.

Ond bwytaodd Medi . . . y bisgedi.

Anti Beti welodd Medi
â'r holl friwsion rownd ei cheg.
"Diar mi," meddai hi, gan ysgwyd ei phen,
"mi fyddi di'n dweud bow-wow ac yn troi yn gi."
"Peidiwch â dweud wrth Mam," ymbiliodd Medi.
Roedd hi'n difaru bwyta'r bisgedi.

"Ddyweda i'r un gair," meddai Anti Beti gan wincio.

Winciodd ci Anti Beti hefyd.

A thybiodd Medi
iddi glywed
y ci yn dweud,

Roedd mam Medi fymryn yn hwyr.
Wrth iddyn nhw aros, teimlodd Medi
gosi y tu ôl i'w chlustiau.
Efallai eu bod yn tyfu!

Ni sylwodd Mam ar ddim.
Ond doedd Medi ddim am ddweud.
Chwifiodd Anti Beti hwyl fawr,
ysgydwodd y ci ei gynffon,
ac ysgydwodd Medi ei chynffon
newydd hithau.

Ar y ffordd adref

fe daron nhw i mewn i siop y cigydd.

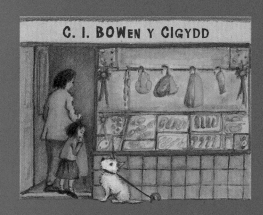

Sniffiodd Medi'r awyr, a rhoi cynnig ar ambell 'wyff'.

Gwenodd y cigydd ar fam Medi.
"Ew, hen genau bach annwyl
ydi hwn," meddai.
A dyna brofi'r peth. Ci bach ydi cenau!
Roedd Medi'n difaru bwyta'r bisgedi.

Nid oedd Mam wedi sylwi ar ddim.
Ond doedd Medi ddim am ddweud.
Amser swper sglaffiodd ei selsig,
a chythru at ei chig,
a cholli ei llefrith,
ac udodd ei brawd,
nes i Dad gyfarth,

"Mae hi fel BYW gyda HAID o GŴN!"

Ci gwyllt oedd Medi amser bath.

Erbyn amser gwely roedd hi'n gi gwylltach.

Ac erbyn amser stori roedd hi'n gi
nad oedd gwrando yn ei groen.

Ac eto ni sylwodd Mam ar ddim.
Ond doedd Medi ddim am ddweud.
Er ei bod,
wrth iddi swatio wrth droed ei gwely
. . . yn difaru bwyta'r bisgedi.

 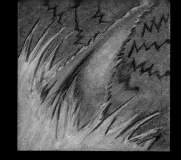 

Yn nwfn y nos, pan oedd y lleuad ar godi, deffrodd Medi.

Clywodd sŵn rhywun y tu allan.

Clywodd eu harogl fel y gall ci gwyllt ei wneud.

Llamodd ci Anti Beti i ganol y golau a galw,

"Amser i gael hwyl."

Wyff!

Ac fe aeth Medi.

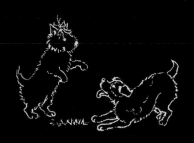

Pranciodd yn y gwyll
gyda chi Anti Beti,

a chwarae lol yn y cysgodion
ac yn yr ardd lysiau.

Yna neidiodd ci Anti Beti
dros y gwrych.
Ac aeth Medi hefyd . . .

Cafodd ei chludo ar awel y nos trwy'r tywyllwch tua'r parc i redeg ac i gyfarth gyda gweddill y cŵn gwyllt.

Fe addawon nhw
Wledd Ganol Nos fleiddaidd
i Medi
ac i gi Anti Beti.
Yna gwibiodd yr helfa wyllt
i fyny'r foel,
heibio'r bandstand,
y siglenni
a'r pwll padlo.

Goleuwyd y nos fel dydd o haf,
a throdd y bandstand yn bastai braf.

Yna bwriodd gawod fawr
o selsig sêr ar hyd y llawr.

Ac wedi i bawb fwyta llond ei fol,
a sipian sgytlaeth pinc o'r pwll,

roedd Medi'n hapus ei bod wedi bwyta'r bisgedi . . .

NES . . .

. . . iddi feddwl am ei brawd,
a'i thad a'i mam.
Ci yn ferch?
Fe gawson nhw gam!
Syllodd ar leuad oedd yn
fisged i gŵn,
ac

UDODD

Medi

NES

cadw'r

fath

SŴN.

Diflannodd y cŵn.
Diflannodd y lleuad.
Cafodd Medi ei hun yn ôl yn ei hystafell
gyda mam a oedd wedi sylwi
bod rhywbeth yn bod,
felly o'r diwedd . . .
dywedodd Medi wrth Mam am y bisgedi cŵn.

"Tynnu dy goes oedd Anti Beti," meddai Mam.

"Nage ddim," sniffiodd Medi. "Weli di ddim?"

"Ddim yn y tywyllwch," gwenodd Mam,
"ond rwyt ti'n arogli'n union fel fy ngeneth fach i.
Gawn ni gwtsio fel cŵn bach,
'mond ni ein dwy,
a fory mi ofynnwn ni i Anti Beti
beth ddylen ni ei wneud."

Drannoeth teimlai Medi fel merch unwaith eto
ond fe ymwelon nhw ag Anti Beti beth bynnag.

Ysgydwodd Anti Beti ei phen.
"Wrth gwrs mai jôc oedd hi," meddai.
"Mae'n ddrwg gen i os gwnes i dy ddychryn di.
Beth am gael paned
a dod o hyd i fy nhun o fisgedi pobl."

Dyna'r union
beth oedd
ei angen.

Bisgedi
i godi'r
galon.

Ac fe gafodd ci Anti Beti fisged hefyd.

Bisgedi Po l!

Cynhwysion

125g menyn	1 melynwy	1 llond llwy de sbeis cymysg
100g siwgwr brown	350g blawd plaen	1 llond llwy de soda pobi
125ml triagl melyn	1 llond llwy fwrdd sinsir mâl	Eisin a melysion i addurno

Curwch y menyn a'r siwgwr mewn powlen nes ei fod yn hufennog.

Chwipiwch y melynwy a'r triagl melyn. Ychwanegwch y gymysgedd
at y menyn a'r siwgwr a chymysgwch yn dda.

Trowch y blawd, y soda pobi, y sinsir a'r sbeis trwy'i gilydd.

Defnyddiwch eich dwylo i wasgu'r gymysgedd. Gwasgwch a thylinwch
nes bod gennych lwmp o does crwn.

Yna gadewch i'r toes orffwys. Gorchuddiwch ef â dalen o *clingfilm*,
a'i roi yn yr oergell am hanner awr o gwsg.

Wrth aros, irwch eich tun pobi, a chynheswch eich popty i 180°C.
Sgeintiwch flawd ar y man gweithio a rhowliwch y toes i drwch o 4mm.
Ewch i nôl eich torwyr bisgedi siâp person. (Peidiwch â defnyddio
torrwr siâp asgwrn. Wyddoch chi ddim beth allai ddigwydd.)

Gosodwch eich pobl ar y tun pobi, rhyw 3cm oddi wrth ei gilydd,
ac yna'u pobi am 10 munud, neu nes eu bod nhw'n frown.

Tynnwch nhw o'r popty a'u gadael i oeri.
Yna addurnwch nhw ag eisin, ac efallai melysion sy'n addas i bobl.

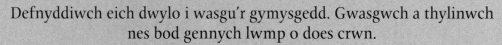
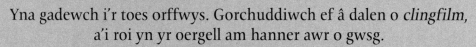

Gofynnwch am help . . .

. . . gan oedolyn!